PHILIPPE LEGENDRE

J'apprends
à dessiner
la mer

Éditions Fleurus, 15-27 rue Moussorgski, 75018 Paris

À l'attention des parents et des enseignants

Tous les enfants savent dessiner un rond, un carré, un triangle…
Alors, ils peuvent aussi dessiner un dauphin, un crabe ou un voilier !
Notre méthode est facile et amusante. Elle apporte à l'enfant une technique
et un vocabulaire des formes dont se sert tout dessinateur.

La construction du dessin se fait par l'association de formes géométriques
créant un ensemble de volumes/surfaces. Il suffit ensuite, par une ligne droite,
courbe ou brisée, de donner son caractère définitif à l'esquisse.

En quelques coups de crayon un motif apparaît,
un peu de couleur et voici réalisée une belle illustration.

Cette méthode propose un apprentissage de la technique
et une première approche de la composition, des proportions, du volume,
de la ligne. Sa simplicité en fait une méthode où le plaisir
de dessiner reste au premier plan.

PHILIPPE LEGENDRE

Peintre-graveur et illustrateur, Philippe Legendre anime
aussi un atelier de peinture pour les enfants de 6 à 14 ans.
Intervenant souvent en milieu scolaire, il a développé
cette méthode pour que tous les enfants puissent
accéder à l'art du dessin.

Quelques conseils

1· Chaque dessin est fait à partir
d'un petit nombre de formes géométriques
qui sont indiquées en haut de la page. C'est ce qu'on appelle
le vocabulaire de formes. ⬭ ⬭ ⬭ Il peut te servir
à t'exercer avant de commencer le dessin.

2· Fais l'esquisse du dessin au crayon ✏ et à main
levée. Attention, pas de règle ni de compas !

3· Les pointillés indiquent les traits
de construction qui doivent être gommés.

4· Une fois ton dessin terminé, colorie-le.
Si tu veux, repasse en noir le trait de crayon.

Et maintenant, à tes crayons !

VOCABULAIRE DE FORMES

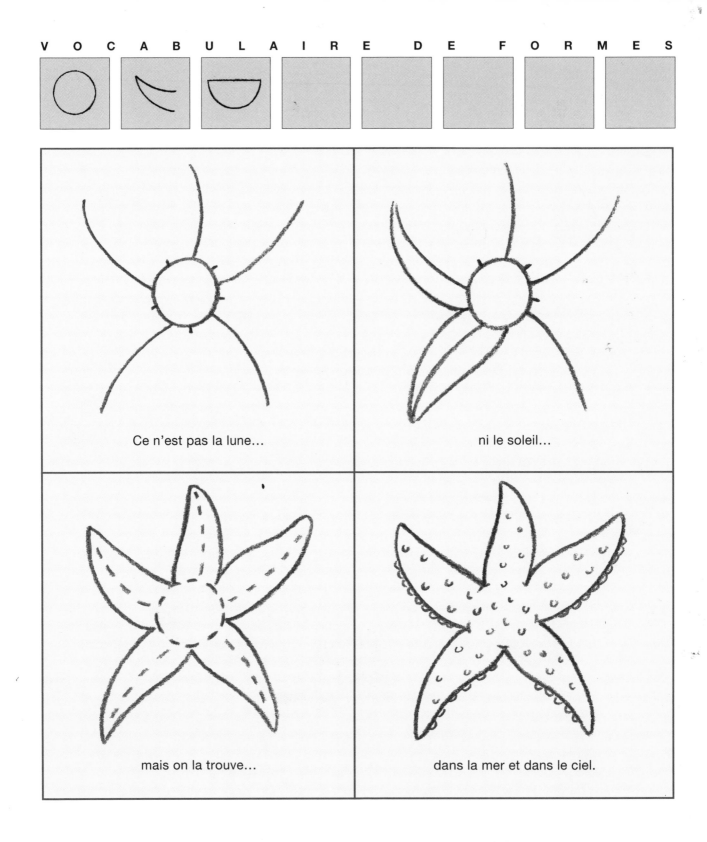

Ce n'est pas la lune…

ni le soleil…

mais on la trouve…

dans la mer et dans le ciel.

L'étoile de mer

C'est l'ami des navigateurs...

il escorte les bateaux...

et danse sur les vagues.

Le dauphin

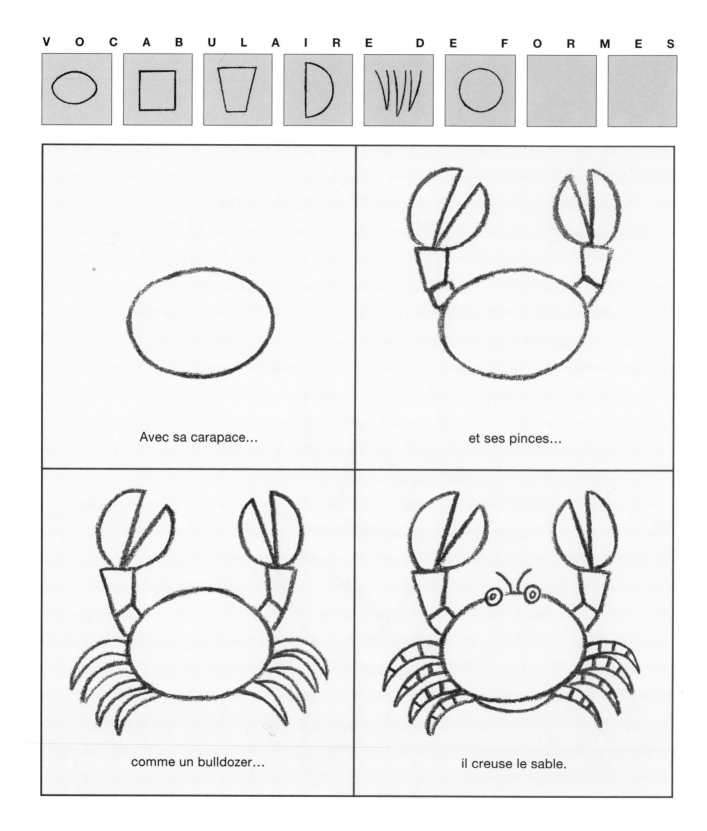

Avec sa carapace...

et ses pinces...

comme un bulldozer...

il creuse le sable.

Le crabe

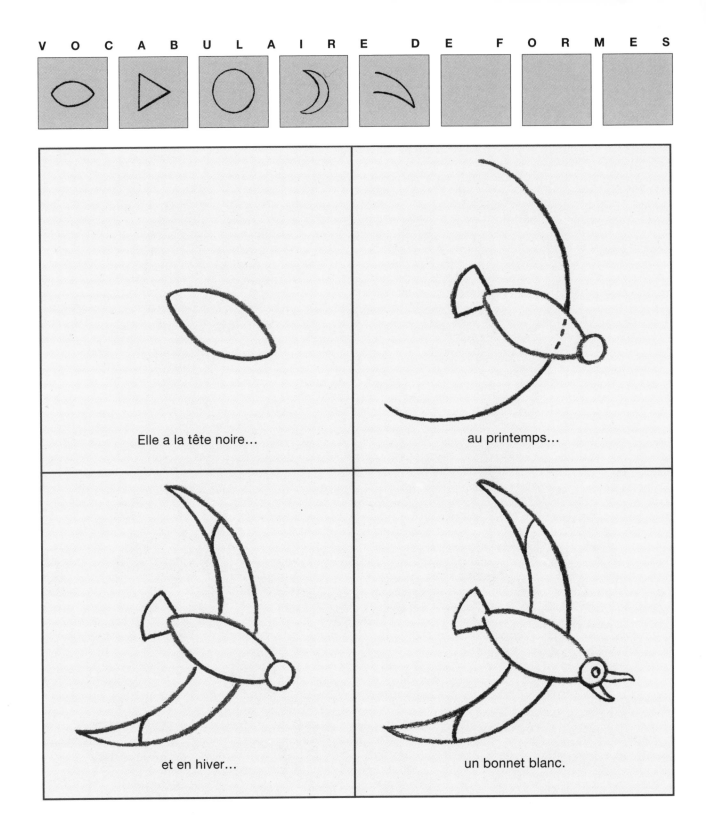

Elle a la tête noire...

au printemps...

et en hiver...

un bonnet blanc.

La mouette rieuse

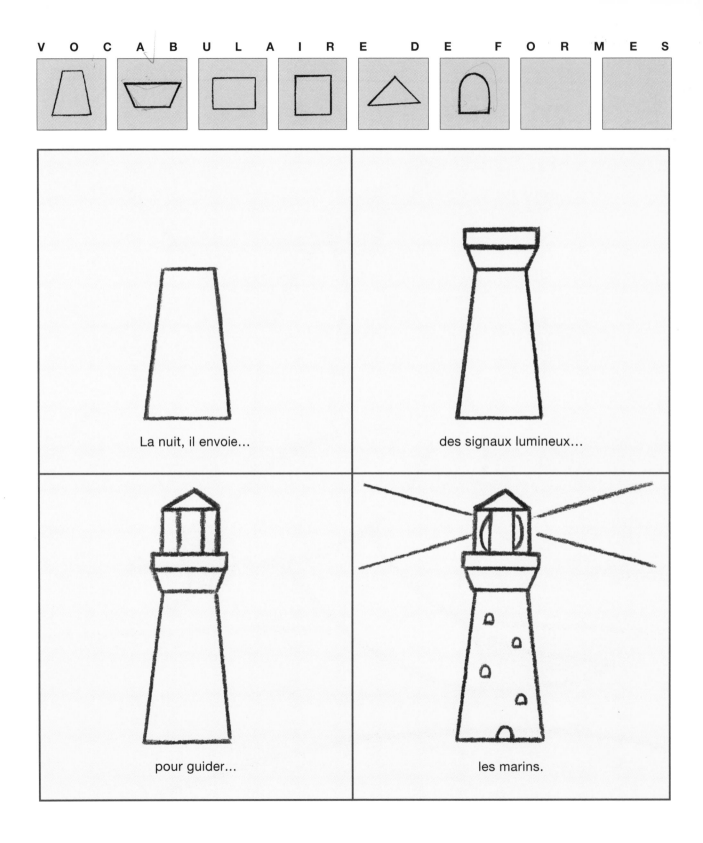

La nuit, il envoie…

des signaux lumineux…

pour guider…

les marins.

Le phare

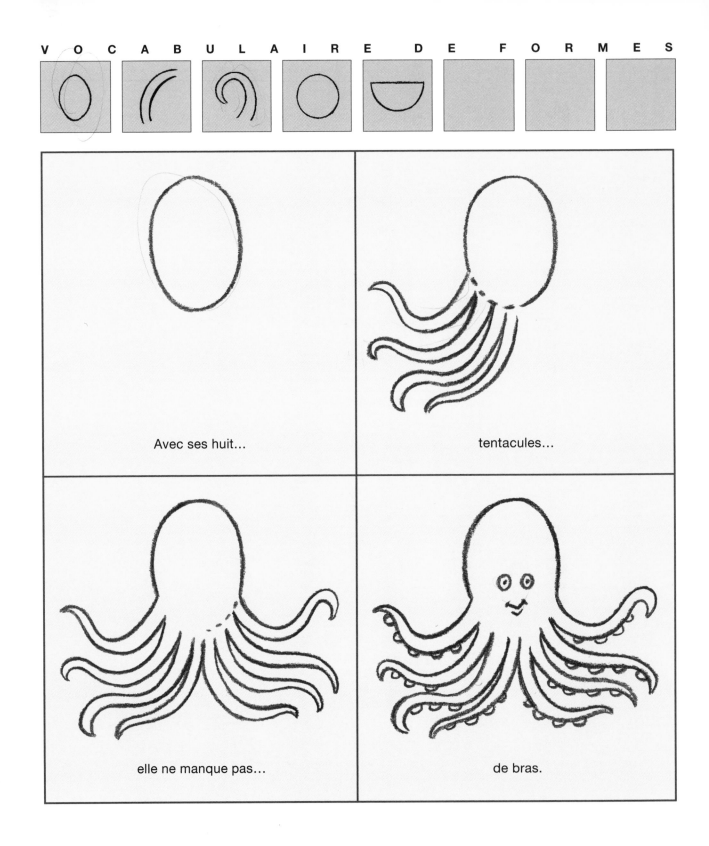

Avec ses huit...

tentacules...

elle ne manque pas...

de bras.

La pieuvre

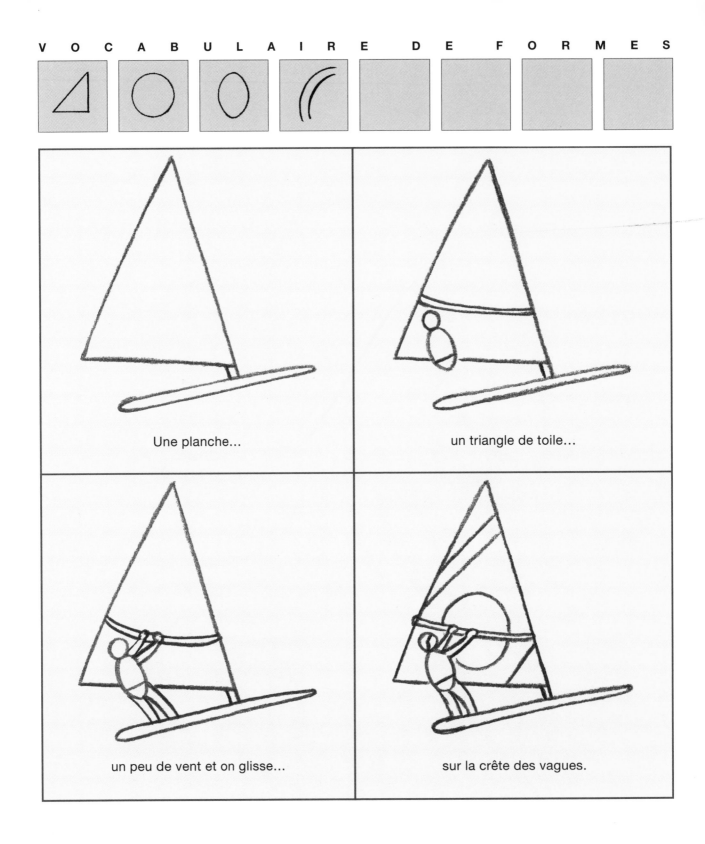

Une planche...

un triangle de toile...

un peu de vent et on glisse...

sur la crête des vagues.

La planche à voile

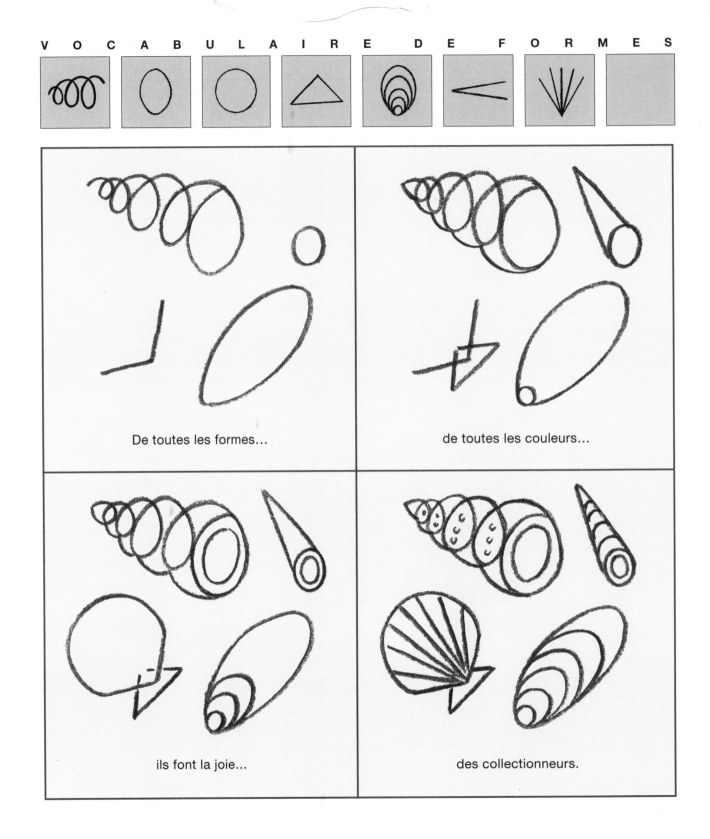

De toutes les formes...

de toutes les couleurs...

ils font la joie...

des collectionneurs.

Les coquillages

Une coque...

un mât...

des voiles...

et vogue vers le large.

Le voilier

Maintenant tu connais tout de la vie sur la mer et sous la mer.

Alors à tes crayons, mais attention aux vagues !

Collection J'apprends à dessiner

Les compilations

Loi n°49-956 du 16 juillet 1949 sur les publications destinées à la jeunesse.

© Groupe Fleurus, Paris, 1993
Dépôt légal : 1993
ISBN 2-215-01919-0
ISSN 1257-9629
16e édition, n° 92351

Imprimé par **Partenaires-Livres**® / cl, France